IL GIALLO A FUMETTI

# DIABOLIK

di A. e L. GIUSSANI

# TRAPPOLA PER GINKO

VENDESI

JO, DAI !
2

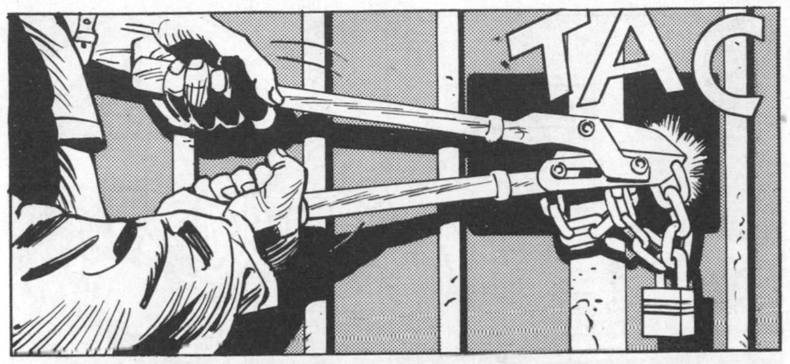
TAC

CHARLY, SIAMO ENTRATI NEL CORTILE DEL MAGAZZINO. SIETE PRONTI A INTERVE_ NIRE ?
PRONTI.
3

ORA!

TUMP!
4

MANI IN ALTO! POLIZIA!

MALEDIZIONE!
BANG
5

BANG BANG

AAH!
6

BANG BANG

GETTATE LE ARMI! SIETE CIRCONDATI!
7

BANG
BANG
AAH!

BANG
AH!
8

BASTA! NON SPARATE! CI ARREN_DIAMO!

DISARMATELI.

APRIAMO LA SARA_CINESCA.

ARRIVANO.

DRIII
DRIII

RISPONDI. E STAI BENE ATTENTA A QUELLO CHE DICI.
10

PRONTO... ROY?
TUTTO BENE?

SI'.
TRA POCHI MINUTI SIAMO LI'.

BANG
AH!
11

BANG BANG
AAH!

CAPITANO, VI HANNO BECCATO!
SOLO DI STRISCIO. MA SULLA BARCA AVRANNO SEN_ TITO, ACCIDENTI!

ROY! FILIA_ MOCELA!
AL MAGAZZINO C'È LA POLIZIA!
VIRO VERSO IL LARGO!
12

MALEDIZIONE! UNA MOTOVE_ DETTA!
IO NON MI ARRENDO! POSSIAMO FARCELA!

RATATA
RATATA

RATATATA

AAAH!

ARRENDETEVI! CESSATE IL FUOCO!
14

SONO IN TROPPI! NON RIUSCIREMO A SCAPPARE!
BUTTIAMO VIA LA ROBA, PRESTO! ALTRIMENTI SIAMO FREGATI!

TATATA
AAH!

CI ARRENDIAMO! NON SPARATE!
15

PIU' TARDI...
E DUE DEI NOSTRI COLPITI. SI'... MA IN MODO NON GRAVE.
CAPITANO WALKER, SULLA BARCA C'ERA TANTA EROINA DA RIFORNIRE TUTTA LA REGIONE.

PER FORTUNA GLI SPAC_ CIATORI NON HANNO FATTO IN TEMPO A LIBERARSENE.
E QUI C'E' LA MERCE CHE SAREBBE SERVITA COME PAGAMENTO.
16

ROBA DI CLASSE: GIOIELLI DI GRANDE VALORE...

IL GIORNO DOPO...
SCRIGNI TEMPESTATI DI PIETRE PREZIOSE, UNA COLLEZIONE DI PUGNALI CON LE IMPUGNATURE INTARSIATE DI BRIL_ LANTI...
QUESTA MERCE E' STATA RUBATA NEGLI ULTIMI ME- SI A GIOIELLIERI E ANTIQUARI DI GHENF. UN GUAR_ DIANO CHE AVEVA TENTATO DI REA_ GIRE E' STA_ TO UCCISO.
17

SONO SUBITO SCATTATE LE INDAGINI DA PARTE DELLE FORZE DI POLIZIA. LA CONCLUSIONE IERI SERA. L'OPERAZIONE, AL COMANDO DEL CAPITANO ANNA WALKER, HA PERMESSO LA CATTURA DI UNA BANDA DI LADRI E TRAFFICANTI DI DROGA.

MA, MEGLIO DI NOI, I FATTI VE LI RACCONTE_RA' IL CAPITANO WALKER.
I MALVIVENTI AVEVANO IN MANO MERCE DIFFICILE DA PIAZZARE. HANNO QUINDI OPTATO PER UNO SCAMBIO REFURTIVA-DROGA. PER I COMMERCIANTI DI STU_PEFACENTI SAREBBE STATO PIU' SEMPLICE PORTARE IL BOTTINO ALL'ESTERO.
18

CHE PEZZI STUPENDI! SAREBBE UN COLPO COLOSSALE! MA ORA VERRANNO RESTITUITI AI PROPRIETARI.
PRIMA DEVONO ESSERE TUTTI ESAMINATI E INVENTARIATI. PER QUALCHE SETTIMANA RESTERANNO NEGLI ARMADI BLINDATI DELLA QUESTURA DI GHENF.

PECCATO CHE STIAMO GIA' PREPARANDO IL COLPO AL TRASPORTO DEI DIAMANTI, QUI A CLERVILLE. TU CHE ESCOGITI TANTE COSE, PERCHE' NON RIESCI A INVENTARTI ANCHE IL DONO DELL'UBIQUITA'?
D'ACCORDO, EVA. CI PENSERO'.
19

CAPITANO WALKER, AVETE DATO UN DURO COLPO A DUE POTENTI ORGANIZ_ZAZIONI CRIMINALI. COMPLIMENTI PER L'ESITO BRILLAN_TE DI QUESTA DIFFICILE OPE_RAZIONE.
NESSUN COMPLIMEN_TO. ABBIAMO LAVORATO SODO, MA E' IL NOSTRO MESTIERE.

IN GAMBA QUELLA PO_LIZIOTTA. E' ANCHE BELLA. SEMBRA UNA TOP MODEL.
LA CONOSCO. E' UNA CHE HA DAVVERO DEI NUMERI.

AVEVA INIZIATO UN CORSO CHE TENEVO PRESSO L'ISTITUTO SUPERIORE DI POLIZIA DI CLERVILLE. ERA ANCHE MOLTO PRO_METTENTE, UNO DEI MIGLIORI ALLIEVI CHE ABBIA MAI AVUTO.

POI, DI COLPO, NON SO PERCHE`, HA INTERROTTO TUTTO ED E` TORNATA A GHENF. COMUNQUE SI`, E` DAVVERO UN OTTIMO ELEMENTO. QUESTA OPERA_ ZIONE ERA COMPLESSA E LEI L'HA CONDOTTA DA PRO_ FESSIONISTA ABILE E PIENA DI FEGATO. LE TELEFONERO` PER COMPLIMENTARMI.

TUTTAVIA HA COMMES_ SO UN'IMPRUDENZA: PERMETTERE DI MO_ STRARE QUELLA RE_ FURTIVA IN TELEVISIONE. SI TRATTA DI PEZZI UNICI E DI ENORME VA_ LORE. POTREBBERO FAR GOLA A DIABOLIK.
21

QUEL POMERIGGIO...
CAPITANO WALKER, L'ISPETTORE GINKO PER VOI SULLA LINEA TRE.
ADESSO SONO OCCUPATA. DI_TEGLI CHE LO RICHIAMO TRA POCHI MINUTI.

MA... CAPITANO...

HO DETTO CHE LO RI_CHIAMO IO.

BRAVA, PER CARITA`... BRAVISSIMA. MA SI DA` TANTE DI QUELLE ARIE...
22

POCO DOPO...
NO. NON HO SOTTOVALUTATO IL RISCHIO CHE DIABOLIK TENTI DI RUBARE QUELLA REFURTIVA. MA VI ASSICURO, ISPETTORE, CHE HO DISPOSTO CONTROLLI MOLTO ACCURATI.

NON NE DUBITO, CAPITANO, MA SAPETE CHE DIABOLIK RIESCE A PENSARNE SEMPRE UNA PIU' DEGLI ALTRI.

LA MERCE E' RINCHIUSA NELLA NOSTRA CAMERA BLINDATA, ALL'ULTIMO PIANO DEL PALAZZO. E, FINCHE' NON VERRA' RESTITUITA AI PROPRIETARI, HO DISPOSTO IL CONTROLLO DEL VOLTO PER OGNI PERSONA CHE ENTRA IN QUESTURA, SISTEMI DI SICUREZZA ALLE FINESTRE E ALTRE MISURE DI QUESTO TIPO.

COMUNQUE SIETE STATO MOLTO GENTILE A TELEFONARE.
E VOI SIETE STATA MOLTO IN GAMBA NEL CORSO DI QUESTA OPERAZIONE.
ALLORA APPROFITTO DEL MOMENTO PER CHIEDERVI DI NUOVO DI FARMI ENTRARE NELLA VOSTRA SQUADRA SPECIALE.
PURTROPPO LA RISPOSTA E' ANCORA NEGATIVA. LA MIA SQUADRA E' AL COMPLETO. E POI, VOI STATE FACENDO UN OTTIMO LAVORO A GHENF.
NON SAPETE COSA VI PERDETE, ISPETTORE.
24

"STATE FACENDO UN OTTIMO LAVORO A GHENF"... ACCIDENTI A LUI...
AVETE L'ARIA DI DETESTARLO, L'ISPETTORE GINKO.

PERCHE' DOVREI DETESTARLO? LO CONOSCO APPENA.

SO CHE AVETE PIANTATO A METÀ IL SUO CORSO. SI VEDE CHE NON LO REGGEVATE PIU'.

GIA'...NON LO REGGEVO PIU'.
25

PIU' TARDI...

26

CAPITANO WALKER, AVETE STABILITO I TURNI DI GUARDIA PER I CONTROLLI AGLI INGRESSI?

COME? AH SÌ... HO STILATO UN ELENCO. PER I DETTAGLI PENSATECI VOI.

ANCHE TUTTI I MEZZI DI TRASPORTO CHE ENTRANO NELL'AREA DELLA QUESTURA, E QUALSIASI INVOLUCRO, PICCOLO O GRANDE, **TUTTO** DEVE ESSERE ESAMINATO. MI RACCOMANDO, SERGENTE, NON ABBIATE PAURA DI ESAGERARE CON I CONTROLLI.
CERTO. CON DIABOLIK LE PRECAUZIONI NON SONO MAI TROPPE.
27

E SE INVECE COGLIESSI L'OCCASIONE ? E ORGANIZZASSI UNA TRAPPOLA?

LUI CI POTREBBE CASCARE...
28

DUE SETTIMANE DOPO...
FERMI, VOI DUE! DOBBIAMO CONTROL_LARVI LA FACCIA.
MA SIAMO USCITI DUE MINUTI FA PER ANDARE A PRENDERE UN CAFFÈ AL BAR QUI DI FRONTE. CI HAI VISTO!

IO SO SOLO CHE DEVO CONTROLLARE I VISI DI TUTTI. E SE AL CAFFÈ DIABOLIK AVESSE PRESO IL TUO POSTO?
E VA BENE. "PIZZICOTTAMI".

UUUUUUUUUU

E' L'ALLARME ANTINCENDIO!
GUARDATE! C'E' DEL FUMO LASSU'!

MA COSA SUCCEDE?
UN INCENDIO!

30

E' IMPOSSIBILE
SALIRE !

31

LE SCALE SONO INVASE DAL FUMO!
SCREEEK

CHIAMATE ANCHE LE AMBULAN_ ZE, PRESTO!
MOLTI COLLEGHI SONO IMPRIGIO_ NATI LASSU'!

32

AIUTATECI!
SIAMO BLOCCATI!

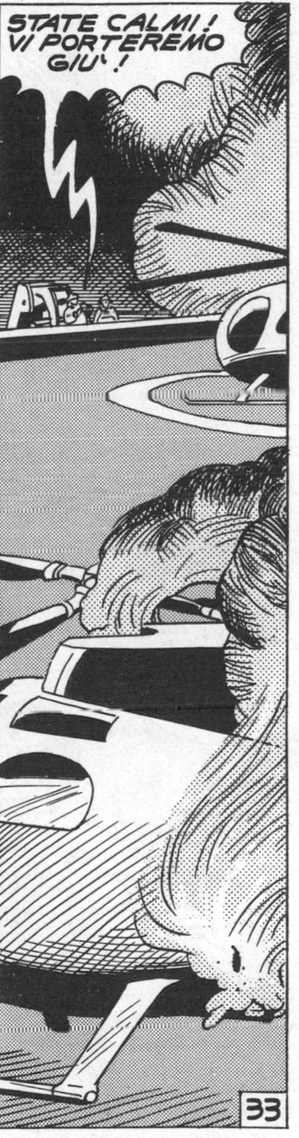
STATE CALMI! VI PORTEREMO GIU'!
33

PIANO...
ECCO...
COSI'!

TUTTO BENE?
SI'... SI'. TUTTO BENE.
34

PARECCHI UOMINI SONO SALITI SUL TERRAZZO PER SFUGGI_ RE ALLE FIAMME!
15

SIAMO QUI!
ANCHE UN ELICOT_ TERO HA PRESO FUOCO!
35

GUARDATE!

E' EVA KANT!

36

INUTILE CERCARE DI RAGGIUNGERLA! E' GIA' SULL'ELI_ COTTERO!

VRRRR

MA... ALLORA L'INCENDIO E' STATO APPIC_ CATO DA DIABOLIK!
PER RUBARE LA REFURTIVA NELLA CAMERA BLINDATA!
37

L' INDOMANI.
AVEVO VOGLIA DI RIPRENDERLA PER LA SUA IMPRUDENZA, MA HA L'ARIA COSI' ABBACCHIATA... SI E' PRESA UNA BELLA BA_ TOSTA, LEI CHE E' SEMPRE COSI' SICURA DI SE'.

ISPETTORE! CHE PIACERE VEDERVI!
TOC TOC

C'E' STATO UN MORTO... MA NE SIETE GIA' AL CORREN_ TE, PENSO.
38

SI'. ROBERTO CARTER, IL SORVEGLIANTE DELLA CAMERA BLINDATA. PUGNALATO.

LO CONOSCEVO DA SEMPRE. STAVA PER ANDARE IN PENSIONE. MI DAVA DEL TU. MI CHIAMAVA "RAGAZZINA"...

LA PORTA BLINDATA E' STATA FORZATA CON ACIDO CORROSIVO. E LA REFURTIVA E' SPARITA, NATURALMENTE.
NATURALMENTE.
39

IL FUMO ERA DENSO E L'ARIA IRRESPIRABILE, E SI AVEVA L'IMPRESSIONE CHE STESSE BRUCIANDO TUTTO! INVECE L'INCENDIO NON ERA COSI' ESTESO COME SEMBRAVA.
INFATTI NON CI SONO GROSSI DANNI. A PARTE L'ELICOTTERO, AL QUALE EVIDENTEMENTE LA KANT AVEVA DATO FUOCO PER NON ESSERE INSEGUITA, CI SONO SOLO PARETI ANNERITE.

INFATTI! PERCHE' C'ERA TANTO **FUMO**! NON TANTO **FUOCO**!

I POMPIERI HANNO TROVATO CANDELOTTI FUMOGENI DAPPERTUTTO!
40

DIABOLIK HA CREATO IL CAOS: I POMPIERI CER_CAVANO DI SPEGNERE L'INCENDIO... E QUEL CRIMINALE INTANTO AMMAZZAVA IL GUAR_DIANO E RUBAVA IL BOTTINO. POI L'HA PASSATO ALLA KANT CHE SE LO E' PORTATO VIA IN ELICOTTERO. E LUI SE N'E' ANDATO IN MEZZO ALLA CONFUSIONE.

ISPETTORE, HO SBAGLIATO TUTTO. HO SOTTOVALUTATO DIABOLIK. E' UN ER_RORE IMPERDONABILE. SONO STATA UNA CRETINA. SARA' MEGLIO CHE DIA LE DIMISSIONI E CAMBI MESTIE_RE.
41

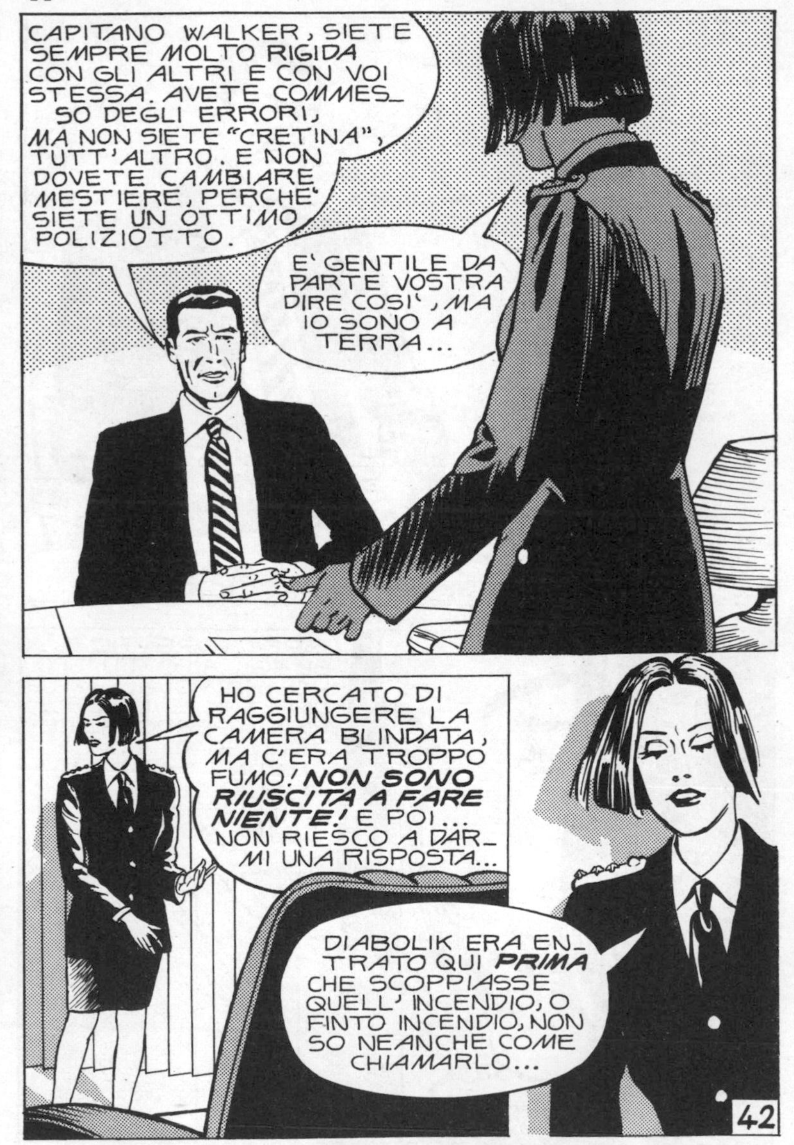
CAPITANO WALKER, SIETE SEMPRE MOLTO RIGIDA CON GLI ALTRI E CON VOI STESSA. AVETE COMMES_ SO DEGLI ERRORI, MA NON SIETE "CRETINA", TUTT'ALTRO. E NON DOVETE CAMBIARE MESTIERE, PERCHE' SIETE UN OTTIMO POLIZIOTTO.
E' GENTILE DA PARTE VOSTRA DIRE COSI', MA IO SONO A TERRA...
HO CERCATO DI RAGGIUNGERE LA CAMERA BLINDATA, MA C'ERA TROPPO FUMO! NON SONO RIUSCITA A FARE NIENTE! E POI... NON RIESCO A DAR_ MI UNA RISPOSTA...
DIABOLIK ERA EN_ TRATO QUI PRIMA CHE SCOPPIASSE QUELL' INCENDIO, O FINTO INCENDIO, NON SO NEANCHE COME CHIAMARLO...
42

IO FACEVO CONTROLLARE TUTTI GLI INGRESSI, E LUI CHISSA' DA CHE PARTE SI E' INFILATO NELLA QUESTURA CON I SUOI FUMOGENI! QUINDI LE MIE PRECAUZIONI NON VALEVANO UN ACCIDENTE! E' STATA TUTTA COLPA MIA!

NO! VOI AVETE USATO LE MISURE DI SICUREZZA PIU' ACCURATE E CAPILLARI POSSIBILI! E QUEL CRIMINALE HA TROVATO CHISSA' QUALE MODO PER FAR ENTRARE CIO' CHE GLI INTERESSAVA. QUANDO LO SCOPRIRETE, CAPIRETE CHE DIABOLIK E' DOTATO DI UN'ASTUZIA IMPREVEDIBILE.
43

QUINDI... CALMATEVI. ANDIAMO A BERCI UN CAFFE'.

ANZI, PER VOI NIENTE CAFFE'. SIETE GIA' ABBASTANZA TESA.

ISPETTORE, NON PENSERETE DI OFFRIRMI UNA CAMOMILLA!
TROVEREMO UNA VIA DI MEZ_ZO TRA IL CAFFE' E LA CAMOMILLA.
44

POCO DOPO...
L'ELICOTTERO E' STATO TROVATO ABBANDONATO IN UN CAMPO, VERO?
SI', COME PREVEDIBILE. PERO' C'E' UN'ALTRA COSA CHE CONTINUA A FRULLARMI NELLA TESTA. IO HO VISTO BENE LA KANT CORRERE VERSO L'APPARECCHIO. E SONO SICURA CHE NON AVEVA CON SE' LA BORSA DELLA REFURTIVA!

NE SIETE CERTA?
NON AVEVA NIENTE, NE' IN MANO, NE' A TRACOLLA!

ALLORA E' STATO DIABOLIK A PRENDERE LA REFURTIVA!
45

LA KANT ATTIRAVA L'ATTENZIONE DI TUTTI. E INTANTO TRA FUMO, POMPIERI E CONFUSIONE, NESSUNO HA BADATO A CHI ENTRASSE O USCISSE.
ORA TERREMO D'OCCHIO I RICETTATORI. DIABOLIK DOVRA' PUR METTERSI IN CONTATTO CON QUALCUNO PER VENDERE QUELLA MERCE.

NON FATEVI ILLUSIONI, CONOSCO IL SUO MODO DI PROCEDERE. PURTROPPO NON MI POSSO FERMARE A DARVI UNA MANO. A CLERVILLE STO ORGANIZZANDO IL TRASPORTO DELLA COMPAGNIA DIAMANTIFERA.
VI TERRO' INFORMATO SU TUTTO, ISPETTORE.
46

MEZZ'ORA PIU' TARDI...
DRIII DRIII

QUI ISPETTORE GINKO.
ISPETTORE, SONO ANNA WALKER, DEVO DIRVI UNA COSA INCREDIBILE!

LA REFURTIVA E' QUI! IN QUESTURA!
COSA?!

RIPENSAVO A QUANTO CI ERAVAMO DETTI... ANCHE TENENDO CONTO DELLA CONFUSIONE, PER DIABOLIK SAREBBE STATO RISCHIOSO POR_TAR FUORI DELLE BORSE INGOMBRANTI. E ALLORA... MI SONO MESSA A CER_CARE. E HO TROVATO! TUTTA LA MERCE E' NASCOSTA IN UNO SGABUZZINO AL_L'ULTIMO PIANO, CHE NON VIENE MAI USATO!

QUEI DUE CRIMINALI CONTA_VANO DI PORTARSI VIA IL BOTTINO, MAGARI POCO PER VOLTA, NEI PROSSIMI GIORNI!
CERTO! IL CONTROLLO DEI VOLTI ORMAI E' STATO TOLTO.
48

POSSIAMO TENDERGLI UNA TRAPPOLA!
NON VORREI SEMBRARVI PRESUNTUOSA, SOPRATTUTTO DOPO LA MIA RECENTE FIGURACCIA!

MA AVREI UNA MEZZA IDEA... QUI NON HO DETTO NIENTE A NESSUNO. VOGLIO PARLARNE CON VOI. MA DI PERSONA.
D'ACCORDO.

PROSEGUENDO SULL'AUTOSTRADA INCONTRERETE UNA PIAZZOLA MOLTO DEFILATA. SI CHIAMA LE BETULLE. IO IN UN'ORA SARÒ LÌ. PARLEREMO DI TUTTO E VOI MI DIRETE COME FARE.
VA BENE. VI ASPETTO.

PIU' TARDI...
CIAO, TESORO. UN SALUTO FUORI PROGRAMMA.
LE BETULLE AREA DI SOSTA

COME MI PIACCIONO I SALUTI FUORI PROGRAMMA. SEI ANCORA A GHENF?
STAVO TORNANDO A CLERVILLE, MA SONO STATO RAG_ GIUNTO DA UNA TE_ LEFONATA DI ANNA WALKER. COSI' MI SONO FERMATO IN UNA PIAZZO_ LA DI SOSTA DOVE LA ASPETTO.

E PERCHE' VI INCONTRATE NEI BOSCHETTI SE_ GRETAMENTE, COME DUE AMANTI?
MI INCONTRO SEGRETAMENTE, SI', PERCHE' C'E' DI MEZZO UNA TRAP_ POLA A DIABOLIK. MA NON NEI BO_ SCHETTI E NON COME DUE AMANTI. ALTEA, NON SARAI GELO_ SA?
50

GELOSA IO? QUANDO MAI! PERO' TU PROVA A GUARDARE UN'AL_TRA E IO TI CAVO GLI OCCHI.
ECCO, STA ARRIVANDO LA TUA RIVALE. SAI, ADESSO CHE MI CI HAI FATTO PENSARE, E' UNA GRAN BELLA DONNA! FORSE LE FARO' LA CORTE...

MANIACO SESSUALE! NON OSE_RAI...
RESTA IN ASCOLTO E VEDRAI...

SALVE, CAPITANO WALKER!
51

FFSSSSS

EVA... KANT...

MA... LEDET_ TA...
DIO MIO! UNA TRAPPOLA! ERA EVA KANT E L'HA NAR_ COTIZZATO! CHIAMO SUBITO LA QUESTU_ RA DI GHENF!
52

NEL PRIMO POMERIGGIO...
E' UNA FORTUNA CHE L'ISPETTORE FOSSE AL TELEFONO CON VOI. ALTRIMENTI SAREBBE SEMPLI_ CEMENTE SPARITO. CERTO, E' STATO FACILE PER LA KANT RAPIRLO. GINKO SI E' PRESENTATO ALL'APPUNTA_ MENTO SEN_ ZA IL MINIMO SOSPETTO.
E ANNA WALKER?

I SUOI COLLABORATORI DICONO CHE QUESTA MATTINA E' USCITA IN FRETTA, DICENDO CHE SAREBBE RIMASTA ASSENTE QUALCHE GIORNO, PER UN'IN_ DAGINE. AVEVA UNA VALIGIA CON SE'...
DIABOLIK L'AVRA' RAPITA, POI EVA KANT HA TELEFONATO A GINKO. QUEI CRIMINALI SANNO IMI_ TARE LE VOCI DI CHIUNQUE.
53

DIABOLIK E LA KANT LI HANNO PRESI TUTTI E DUE! PERCHE'?
LA MIA OPINIONE E' CHE ABBIANO VOLUTO TOGLIERE DI MEZZO GINKO PER FARE PIU' AGEVOLMENTE IL COLPO AL TRASPORTO DELLA COMPAGNIA DIAMANTIFERA. PER AVVICINARLO HANNO ESCOGITATO L'INCONTRO CON ANNA WALKER. E QUINDI HANNO DOVUTO FAR SPARIRE ANCHE LEI.

NOI SAPPIAMO TUTTO QUESTO PER CASO! PERCHE' VOI AVETE SENTITO L'ISPETTORE MORMORARE IL NOME DELLA KANT. LA QUALE KANT, FORSE, NON SI E' ACCORTA CHE GINKO STAVA PARLANDO CON VOI, VERO?
E' MOLTO PROBABILE. GINKO PARLAVA COL VIVAVOCE, NON AVEVA IL RICEVITORE ALL'ORECCHIO.
54

TERREMO SEGRETA LA NOTIZIA DI QUESTO DOPPIO RAPIMENTO. SE DIABOLIK NON SA CHE NOI SAPPIAMO, PUO' COMMETTERE UN ERRORE. UN FALSO GINKO, O UNA FALSA ANNA WALKER SI POTREBBERO PRESENTARE A GHENF, O A CLERVILLE, O IN QUALSIASI ALTRO POSTO. E NOI POTREMMO ARRESTARLI.

VOLETE DIRE CHE NON DARETE L'ALLARME? NON ORGANIZZERETE RICERCHE PER RITROVARLI?
CERTO. PERO' IN SEGRETO, SENZA DIRE NIENTE A NESSUNO. SOPRATTUTTO ALLA STAMPA.

MA AVRETE MENO POSSIBILITA' DI TROVARLI!
DOBBIAMO SFRUTTARE L'OCCASIONE DI PRENDERE IN TRAPPOLA DIABOLIK. L'ISPETTORE GINKO FAREBBE COSI', DUCHESSA.
55

NEL FRATTEMPO...
DOVE SONO... COSA E' SUCCESSO ?

ORA RICORDO!
OH...

ANNA! DIABOLIK HA PRESO ANCHE VOI!
56

SIAMO... IN UN RIFUGIO DI DIABOLIK?...
SI', CERCHIAMO DI RICOSTRUIRE: MI AVETE TELEFONATO DICENDOMI CHE STAVATE RAGGIUNGENDOMI ALLO SPIAZZO DELLE BETULLE.

NO, ISPETTORE. VOI MI AVETE TELEFONATO A CASA, E MI AVETE DETTO CHE MI STAVATE ASPETTANDO IN UN CAFFE' PER PARLARE DI FACCENDE RISERVATE. IO SONO USCITA, UN UOMO SI E' AVVICINATO. E DEVE AVERMI NARCOTIZZATO.
E IO A MIA VOLTA VENIVO TOLTO DI MEZZO DALLA KANT, CHE INDOSSAVA LA VOSTRA MASCHERA. CI HANNO TESO UN TRABOCCHETTO PER RAPIRCI ENTRAMBI.
57

MA E' VERO CHE STAMATTINA AVETE TROVATO IL BOTTINO NA_ SCOSTO IN QUESTURA?
CHI VI HA DETTO QUESTO? NO. COME VI HO DETTO SONO STATA SEQUESTRATA SOTTO CASA. LA KANT HA PRESO IL MIO POSTO E HA USATO QUESTO ARGOMENTO COME ESCA PER DARVI L'APPUNTAMEN_ TO.

GIA'. PER IN_ CASTRARMI. E FARE IL COLPO AL TRASPOR_ TO DI DIAMAN_ TI DI CLER_ VILLE.
ACCIDENTI! SIAMO RINCHIUSI QUI DEN_ TRO E NON POSSIA_ MO FARE NIENTE! MALEDETTO CRIMI_ NALE, NON RINUNCIA MAI A NULLA!
58

MAI. NON SAREBBE DIABOLIK.
VOI GLI DATE LA CACCIA DA UNA VITA, ISPETTORE. E PARECCHIE VOLTE SIETE RIUSCITO A CATTURARLO, A AVERLO DI FRONTE, NELLE VOSTRE MANI. NON AVETE MAI AVUTO L'IMPULSO DI UCCIDERLO?

IL DESIDERIO SI'. MA IO NON SONO UN ASSASSINO COME LUI. NON SOPPORTEREI L'IDEA DI SCOPRIRE CHE, IN QUALCHE MODO, HO COMINCIATO A COMPORTARMI COME IL MIO PEGGIOR NEMICO. NO. IL MIO COMPITO NON E' DI UCCIDERE, MA DI LAVORARE PER LA GIUSTIZIA.
59

CHISSA' SE ANCH'IO SAREI CAPACE DI TANTA CORRET_TEZZA...
E PERCHE' NO?

VOI AVETE UN CON_TROLLO INCREDIBILE SU VOI STESSO. IO TEMO DI ESSERE PIU' IMPULSIVA.
UN PO' DI IMPULSIVITA' NON GUASTA. L'IMPORTANTE E' CONSERVA_RE LUCIDITA' E CONTROL_LO.

PER IL MOMENTO SOSPEN_DIAMO I DISCORSI TROPPO SERI. I NOSTRI CARCERIERI CI HANNO LASCIATO DEL CIBO. TRAMEZZINI, FRUT_TA, BIBITE. NON VORREI SEMBRARE PROSAICA, MA HO UNA FAME DA LUPI.
CORAGGIO, ISPETTORE, ORA APPARECCHIO LA TAVOLA... SI FA PER DIRE...
60

POCO DOPO...
ANNA... CIOE', CAPITANO WALKER...
NO, CHIAMATEMI ANNA. E IO POSSO CHIAMARVI GINKO?
CERTO.

VOI MI STUPITE, ANNA... SIETE SERENA COME SE FOSSIMO A UN RISTORANTE...
PERCHE' NO, GINKO? QUI E' TUTTO DI CARTA E PLASTICA. MA POSSIAMO FINGERE CHE SIA DI CRISTALLO E ARGENTO, VERO?
61

COME MAI AVETE DECISO DI FARE IL POLIZIOTTO?
NON SOPPORTAVO L'IDEA DI UNA VITA RI_ PETITIVA, TUT_ TI I GIORNI GLI STESSI VISI, LE STES_ SE COSE, CONTANDO GLI ANNI CHE TI MANCANO PER ANDARE IN PENSIONE.

E LA VITA NELLA POLIZIA E' COME LA IMMAGINAVATE? NON VI HA DELUSO?
HO QUELLO CHE DESIDERAVO... QUASI TUTTO.

BEH, AVERE TUTTO E' DIFFICILE, FORSE IMPOSSIBILE...

NO. IO VOGLIO TUTTO.

SIETE MOLTO GIOVANE E DETERMINATA. APPREZZO QUESTA VOLONTA', QUESTA GRINTA. NON SONO IN MOLTI A AVERLA.
SAPETE, SE NON FOSSE PER LA SITUAZIONE, MI SEMBREREBBE DI ESSERE A UN PIC NIC. MANCANO SOLO LE FORMI_ CHE.

AVETE PROPRIO UN BEL CARAT_ TERE. IO INVECE STO LETTERAL_ MENTE FRIGGEN_ DO, CHIUSO QUI DENTRO.

IO INVECE, FORSE PER LA TENSIONE DI PRIMA, ORA MI SENTO ADDOSSO UNA GRANDE STANCHEZ_ ZA.
COMINCIA A FARE FRESCO.
AVETE FRED_ DO? VI DO LA MIA GIACCA.
NO, NON POSSO AC_ CETTARE. PIUTTOSTO, DIVIDIAMO_ LA... CIOE`... CONDIVIDIA_ MOLA.

ECCO... SENTO CHE MI STO AD_ DORMENTANDO...
64

ALLA QUESTURA DI GHENF...
DUCHESSA, SIETE MOLTO PROVATA. E' INUTILE CHE RESTIATE. VI HO FATTO RISERVARE UNA CAMERA ALL'ALBERGO QUI VICINO. SE VI SARANNO NOTIZIE, VE LE COMUNICHERO' IMMEDIATAMENTE.
VI RINGRAZIO. UN AGENTE E' STATO COSI' GENTILE DA OFFRIRMI UN TE'.

STARO' QUI ANCORA UN PO', POI ANDRO' A RIPOSARE.
COME PREFERITE. PURTROPPO NON CI SONO NOVITA'. CONTROLLIAMO IL VISO DI TUTTI QUELLI CHE ENTRANO NEL PALAZZO DELLA QUESTURA. A CLERVILLE FANNO LA STESSA COSA. FINORA NIENTE.

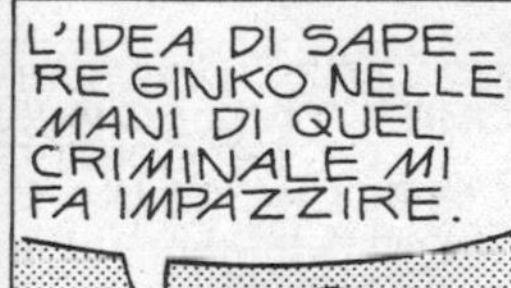
L'IDEA DI SAPERE GINKO NELLE MANI DI QUEL CRIMINALE MI FA IMPAZZIRE.

65

L'INDOMANI MATTINA...
IL TRASPORTO DI DIAMANTI PARTIRA' FRA UN PAIO D'ORE DA CLERVILLE! E IO SONO QUI, COME UN TOPO IN GABBIA!
E IO NON POSSO NEANCHE PENSARE AL FATTO CHE DIABOLIK ABBIA COMMESSO UN FURTO NELLA *MIA* QUESTURA!

NOI ABBIAMO UN OBIETTIVO COMUNE: LA LOTTA CONTRO DIABOLIK. E' UNA COSA CHE CI UNI_ SCE, GINKO.

PRESUMO SIA IL FINE DI OGNI POLIZIOTTO, NELLO STATO DI CLERVILLE.
66

SI', MA NOI *VIVIAMO* PER QUELLO. E' DIVERSO.

STATE CERCANDO UN PUNTO DEBOLE IN QUESTA CELLA?
CERTO. NON SOPPORTO L'IDEA DI STARE QUI A GIRARMI I POL_LICI, SEDUTO SU UNA BRANDA.

TENTO DI TROVARE UNA VIA DI FUGA.
E' DIFFICILE CHE CI SIA, IN UN RIFUGIO DI DIABOLIK.
ALMENO CI PROVO.
67

CIRCA DUE ORE DOPO...
ANNA, VENITE QUI, GUARDATE! C'E' UNA CREPA!

ANZI, E' UN PO' DI PIU' DI UNA CREPA.
E' SEMICOPERTA DA POLVERE E TERRICCIO.

UNA VOLTA, IN UN RIFUGIO DI QUEL CRIMINALE, ABBIAMO TROVATO DELLE BOTOLE SOTTO LE STANZE DEI PRIGIONIERI.
68

SE QUALCUNO, DALL'INTERNO, AVESSE ATTACCATO LA PORTA, IL PAVIMENTO GLI SAREBBE SPROFONDATO SOTTO I PIEDI E IL "QUALCUNO" SAREBBE PRECIPITATO IN UNA TRAPPOLA.
VALE LA PENA DI PROVARE.

POCO PIU' TARDI...
AVEVATE RAGIONE, GINKO! E' UNA BOTOLA. PROVIAMO A SOLLEVARLA?
NON CE LA POSSIAMO FARE. NON C'E' ALCUN APPIGLIO. E POI, PROBABILMENTE, L'APERTURA E' COLLEGATA A UN CONGEGNO.
69

...MA IO UN TENTATIVO LO FACCIO.

SE E' VERA LA MIA IPOTESI, APPENA TENTERO' DI SFONDARE LA PORTA, LA BOTOLA SI SPALANCHERA'. DEVO ESSERE PRONTO AD AGGRAPPARMI A QUALCOSA.

ECCO... A QUELLA TRAVE.
70

GINKO... NO! ASPETTA... CIOE', VOLEVO DIRE... ASPETTATE.

ANNA, SECONDO ME, DUE PRIGIONIERI POSSONO ANCHE DARSI DEL TU.

D'ACCORDO. ALLORA... ASPETTA. E SE DIABOLIK ED EVA CI SENTISSERO?
NON CREDO CHE SIANO IN CASA. SE CI HANNO TOLTO DI MEZZO E' PER AGIRE E FARE I COLPI. QUINDI IO CI PROVO. TU STAI LONTANA DALLA BOTOLA.

SBRANG

SBRANG
CRASH

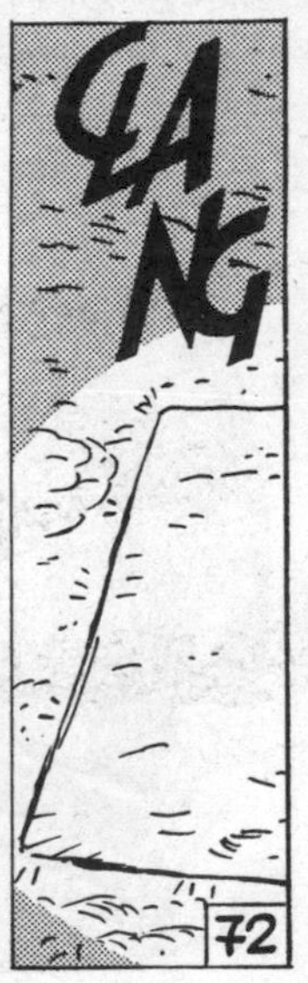
CLANG
72

EHI! HA FUNZIONATO!

AVEVI RAGIONE!
ORA DOBBIAMO CALARCI GIU'. E' BUIO PESTO, NON RIESCO A CAPIRE QUANTO SIA PROFONDO.

SI INTRAVEDONO DEGLI SPUNZONI... MI CALERO' PRIMA IO...
73

DEVO CADERE TRA UNA PUNTA E L'ALTRA...

COSI'!
74

ANNA, CI SONO! TOCCA A TE, ORA!

LASCIATI ANDARE. TI PRENDO IO.
75

TUTTO BENE ?

TUTTO BENE.

SIAMO IN UN PASSAGGIO BUIO E STRETTO. NON SI VEDE UN ACCIDENTE.
NO, GUARDA LAGGIÙ, INVECE.

C'È UNA STRISCIOLINA DI LUCE.
76

GINKO... POSSO CONFESSARTI CHE HO PAURA?

SI', PUOI.
UNA PAURA DA MATTI!

DAMMI LA MANO. PROSEGUIAMO PIANO.
ECCO, C'E' UNA SCALA. METTO IL PIEDE SUL PRIMO GRADINO.
77

ATTENTO!

GINKO! SEI FERITO?
NO, GRAZIE A TE.
78

MA COME HAI CAPITO CHE C'ERA UNA TRAPPOLA?
NON TE LO SO PROPRIO DIRE... UN'INTUIZIONE. I RIFUGI DI DIABOLIK SONO SEMPRE PIENI DI TRA_BOCCHETTI.

PROSEGUIAMO.

ASPETTA. RIPRENDIAMO FIATO.
RESTA QUI. VADO IO.
79

NO. VENGO CON TE.

C'E' UNA PORTA. MA NON MI SEMBRA PARTICOLARMENTE SOLIDA O MASSICCIA. PROVO A DARLE UNA SPALLATA.
80

SCRASH

MA... QUESTO POSTO...

NO!
81

GAS...NARCOTICO...

82

NEL FRATTEMPO, A CLERVILLE...
SERGENTE, I DIAMANTI SONO STATI CARICATI. IL FURGONE BLINDATO E' PRONTO.
PARTITE. SEGUITE ESATTAMENTE IL PERCORSO TRACCIATO E LE DISPOSIZIONI DELL'ISPETTORE GINKO.
COMPAGNIA DIAMANTIFERA

MA L'ISPETTORE NON C'E'?
UNA MISSIONE IMPORTANTE LO HA TRATTENUTO. MA SEGUIREMO ALLA LETTERA LE SUE ISTRUZIONI. IO RESTERO' QUI E CI TERREMO IN CONTINUO CONTATTO RADIO.

VIA!

AVETE INDOSSATO TUTTI I GIUBBOTTI ANTIPROIET_TILE? E LE MASCHERE ANTIGAS?
SI', SER_GENTE.

NON TOGLIE_TELE MAI!
RICEVUTO, SERGENTE.
84

FUORI CITTA'...
ECCO IL CONVOGLIO.

85

AH!
MI SENTO PUNGERE DAPPERTUTTO!

CONTEMPORANEAMENTE, NELLE ALTRE AUTO...
HO DEGLI SPILLI NEL PETTO! NELLA SCHIENA!
ANCH'IO!
PRONTO! PATTUGLIA 12!
86

IO MI STRAPPO VIA QUESTO GIUBBOTTO!
ANCH'IO! MI PERFORA LA PELLE!
PATTUGLIA 26! RISPONDETE!

PRONTO! RISPONDETEMI! COSA DIAVOLO SUCCEDE?
NON LO SO! SIAMO TUTTI COME... COME PIENI DI SPILLI!

E' UN TRUCCO DI DIABOLIK!
87

...STO MALE...
MI... SENTO MANCARE...

SCRASH
88

SBRANG
PRONTO! RISPONDETE!

SBRANG

SBRANG
90

A TUTTE LE PATTUGLIE! CONVERGETE SULLA PRO_VINCIALE 24! DIABOLIK HA ATTACCATO IL CONVOGLIO DELLA COMPAGNIA DIAMANTIFERA, AL_L'ALTEZZA DELLA COLLINA!
QUI PATTUGLIA 33 SIAMO IN ZO_NA! ACCORRIAMO SUBITO!

ANDIAMO, EVA. SONO TUTTI FUORI COMBAT_TIMENTO.
GLI AGHI AL NAR_COTICO CON CUI HAI "IMBOTTITO" I LORO GIUBBOT_TI HANNO FUN_ZIONATO A MERAVIGLIA.

WROOOM
91

QUESTO ACIDO IMPIEGHERA' POCHI SECONDI A CORRO_ DERE LA SERRATURA.

FSSS

ECCO I DIAMAN_ TI.
92

UUUUIIIIIIII
LA POLIZIA!

NON PENSAVO SAREBBERO ARRIVATI COSI' PRESTO!

SCRIIIII
93

WROOOM

CI INSEGUONO!
94

GUADAGNANO TERRENO!
AZIONA IL RADIOCO_ MANDO!

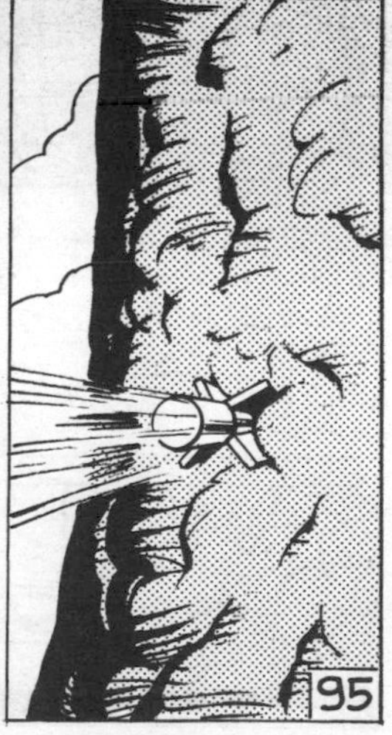
95

ANCORA...
E ANCORA!

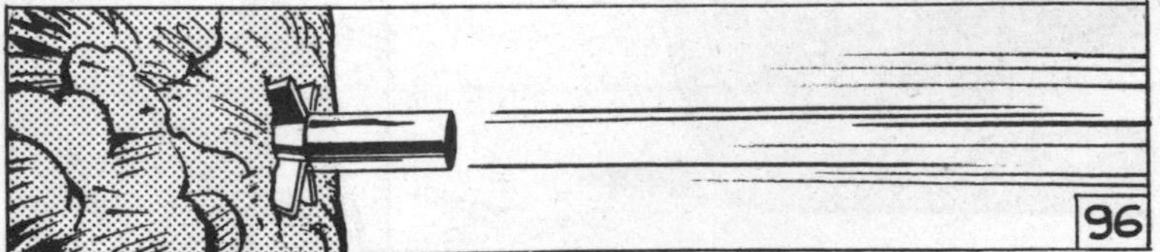
96

ACCELERA!

LO RAGGIUNGIAMO!

ORA, EVA! IL SECONDO RADIOCO_ MANDO!
97

SBRANG

CRASH

FRENA!
SBRANG
98

SCRIII
33

33
99

CI HA FREGATO, ACCIDENTI!
MA POSSIAMO ANCORA RIPRENDERLO! PIU' IN LA' C'E' UN BIVIO CHE PORTA A UNA STRADA PARALLELA. LO RITROVO, QUEL MALEDETTO!

AH!
AH!
100

CRASH

CRASH
101

NIENTE DA FARE! QUEL DANNATO CRIMINALE LE PENSA TUTTE!
AVVERTO LA CENTRALE CHE HA PRESO LA STATALE 11. POSSONO RIPRENDERE L'INSE_ GUIMENTO PIU' A NORD.
102

CENTRALE. QUI PATTU_ GLIA 33! VI DIAMO LA POSIZIONE DI DIABOLIK!
VOGLIONO CHIAMARE RINFORZI...
FERMALI, EVA!

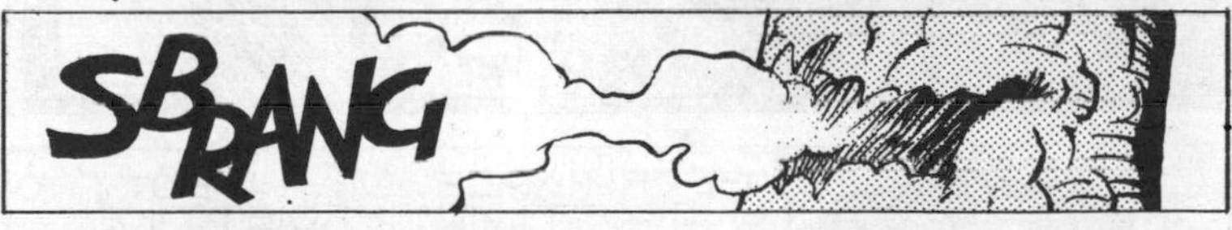
SBRANG

SCRASH
AH!
AH!
103

POCO DOPO...
DIABOLIK E LA KANT HANNO FATTO IL COLPO AL TRASPORTO DI DIAMANTI!

QUEL CRIMINALE AVEVA IMBOTTITO I GIUBBOTTI ANTIPROIETTILE CON AGHI NARCOTIZZANTI. A UN SUO COMANDO, SI SONO CON_FICCATI NELLA PELLE DEGLI AGENTI. VEDETE? DIABOLIK AVEVA TOLTO DI MEZZO L'ISPETTORE GINKO PER FARE IL COLPO!
104

VI VEDO MOLTO PENSIEROSA, DUCHESSA.
SI'... STO RIFLETTENDO, INFATTI.

DIABOLIK HA RUBATO I DIAMANTI, MA LO HA FATTO USANDO UN CONGEGNO CHE AVEVA EVIDENTEMENTE GIA' PREPARATO DA TEMPO. NON AVEVA BISOGNO DI RAPIRE GINKO.

NON CAPISCO...
RIPETO: DIABOLIK NON AVEVA BISOGNO DI RAPIRE GINKO!

MA, DUCHESSA, LA PRESENZA DELL'ISPETTORE SAREBBE STATA COMUNQUE UN PERICOLO PER QUEL CRIMINALE! POSSIBILE CHE NON VE NE RENDIATE CONTO?

QUESTO MI PARLA COME SE FOSSI UNA DONNETTA ISTERICA...

INVECE IO **SENTO** CHE IN QUESTA STORIA C'È QUALCOSA CHE NON VA. DIABOLIK E LA KANT AVREBBERO FATTO QUESTO COLPO ANCHE **SENZA** SEQUESTRARE GINKO. NON CAPISCO... E QUANDO NON CAPISCO DIVENTO RABBIOSA!
106

...E HA RAPITO ANCHE ANNA WALKER CHE C'ENTRAVA MENO CHE MENO. CERTO, IL TENENTE DA' UNA SPIEGAZIONE ANCHE A QUESTO, MA NON MI CONVINCE... LA WALKER AVEVA SUBITO UN BELLO SMACCO DA DIABOLIK. PER CERTO TRA I DUE FATTI C'E' UN COLLEGAMENTO...

LEI E GINKO STAVANO CONCERTANDO UN'AZIONE COMUNE.
DUCHESSA...

DUCHESSA, DOVETE TRANQUILLIZZARVI. ORA CHE IL COLPO E' FATTO, DIABOLIK LASCERA' LIBERI SIA GINKO, SIA ANNA WALKER. E' SOLO QUESTIONE DI ASPETTARE. VI RINNOVO L'INVITO AD ANDARE A RIPOSARE E...

TENENTE, IO NON HO NESSUNA VOGLIA DI ANDARE A RIPOSARE. AL CONTRARIO, VOGLIO PENSARE ... CAPIRE! MI FACCIO DELLE DOMANDE E CERCO DI DARMI DELLE RISPOSTE.

IN QUESTO DOPPIO RAPIMENTO CI SONO DEI LATI OSCURI.
MA QUALI LATI OSCURI?
DI COSA SI STAVA OCCUPANDO IL CAPITANO WALKER, PRIMA DI SPARIRE?
DI MOLTE COSE, DUCHESSA. AVEVA CONCLUSO L'OPERAZIONE AI MOLI DI GHENF, INDAGAVA SUL COLPO IN QUESTURA, SEGUIVA PISTE DI ALTRI CASI. MA SONO INFORMAZIONI RISERVATE. ANCHE PER VOI.
108

SIETE TROPPO ANGOSCIATA. VI RINNOVO L'INVITO A CALMARVI, E A FIDARVI DI NOI. SE PERMETTE_TE, SIAMO NOI I POLIZIOTTI, NON VOI.
CERTO, CERTO...

INVECE NO. NON MI FIDO DI QUEL TENENTE. E' OTTUSO, NON VEDE PIU' IN LA' DEL PROPRIO NASO, HA SEMPRE UNA RISPO_STA PRONTA. MA CHI DICE CHE SIA LA RISPOSTA GIUSTA ?

CERTO CHE IL POLIZIOTTO E' LUI. MA HO DE_CISO DI DARMI DA FARE ANCH'IO.
109

L'INDOMANI...
MI SI STA SNEBBIANDO IL CERVELLO...

DIABOLIK CI HA BLOCCATI E CI HA RINCHIUSO DI NUOVO QUI.

EPPURE LA STANZA NELLA QUALE ERAVA_ MO ARRIVATI MI RICORDA QUALCOSA...
110

QUALCOSA CHE NON RIESCO A METTERE A FUOCO...

MMM...

ANNA, TUTTO BENE?
SI'... SONO SOLO UN PO' INTONTITA. L'EFFETTO DEL NARCOTICO.
111

TIENI, BAGNATI IL VISO CON L'ACQUA FRESCA.

GINKO... E' TUTTO TROPPO STRANO E INQUIETANTE. SE IL TRASPORTO DEI DIAMANTI ERA IERI, PERCHE' NON CI HA LASCIATI LIBERI?
112

PERCHE' CONTINUA A TENERCI QUI? IO SENTO CHE QUESTA STORIA HA DEI SIGNIFICATI DIVERSI DA QUELLI CHE CI SIAMO DETTI FINORA.
COMINCIO A PENSARLO ANCH'IO. MA QUALI?

GINKO, IO PENSO CHE DIABOLIK VOGLIA UCCIDERCI!
113

MA... PERCHE'?
UCCIDERE TE, PERCHE' SEI IL SUO GRANDE NEMICO, L'UOMO CHE GLI RENDE LA VITA COMPLICATA. ELIMI_NANDOTI, DIABOLIK SI TOGLIEREBBE DAI PIEDI L'AVVERSARIO DI SEMPRE.

IN QUANTO A ME... CREDO DI ESSERGLI SERVITA SOLO PER INTRAPPOLARTI. MA MI FARA' MORIRE CON TE.
NON CREDO TU ABBIA RAGIONE. IO CONOSCO BENE QUEL CRIMINA_LE. E LUI NON AGISCE COSI'!
114

E PENSO E RIPENSO, MI ARROVELLO PER CA_ PIRE...
IO NO. BASTA. SONO STUFA DI TORTU_ RARMI CON I "PERCHE'", CON INTERROGATIVI AI QUALI NON SO DARE RISPOSTA.

IO SO SOLO CHE QUESTE SONO FORSE LE ULTIME ORE DELLA NOSTRA VITA. E NON VOGLIO PAS_ SARLE PONENDOMI DOMANDE SU DOMANDE... E CHIEDENDOMI QUANDO, A CHE ORA E IN CHE MODO LA MORTE MI PIOMBERA' ADDOSSO.
115

GINKO...

ANNA, SEI SCONVOLTA, DEVI RIPRENDERE IL CONTROLLO.

E PERCHE' DOVREI? PER MORIRE MEGLIO? NO. FINALMENTE HO DATO UN CALCIO AL MIO CONTROLLO.
116

FORSE SIAMO ALLA FINE.
STIAMO INSIEME...
CON TENEREZZA,
CON AFFETTO...

CON **AMORE**, GINKO...
ANNA...
117

**CONTINUA NEL PROSSIMO NUMERO**

# Il prossimo numero di DIABOLIK ®

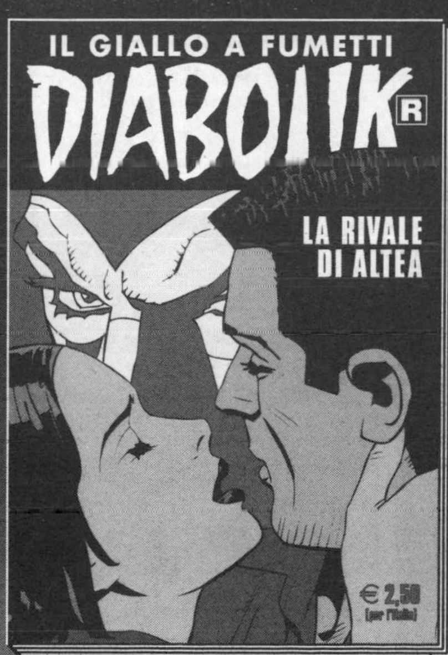


Ginko e Anna Walker sono in una situazione senza via di fuga. Altea cerca un modo per salvare la vita dell'uomo che ama. E Diabolik controlla ogni cosa, nell'ombra. Una serie di colpi di scena conclude l'avventura iniziata con *Trappola per Ginko.*

## LA RIVALE DI ALTEA

IN EDICOLA
DAL 10 APRILE

# UNA DIABOLIKA ANTEPRIMA DI...

# Il prossimo numero di DIABOLIK SWIISSS

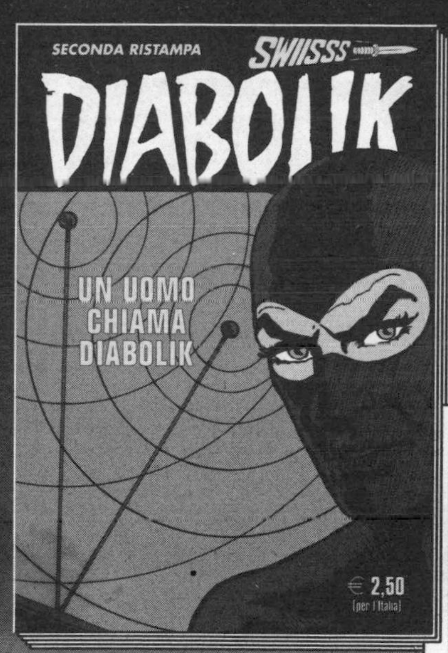


Spinto dal suo folle egoismo, Guido Chester è disposto a tutto: persino a chiedere l'aiuto di Diabolik. Persino a diventare più spietato del Re del Terrore in persona...

## UN UOMO CHIAMA DIABOLIK

IN EDICOLA DAL 20 MARZO

# UNA DIABOLIKA ANTEPRIMA DI...

# Il prossimo numero di DIABOLIK INEDITO

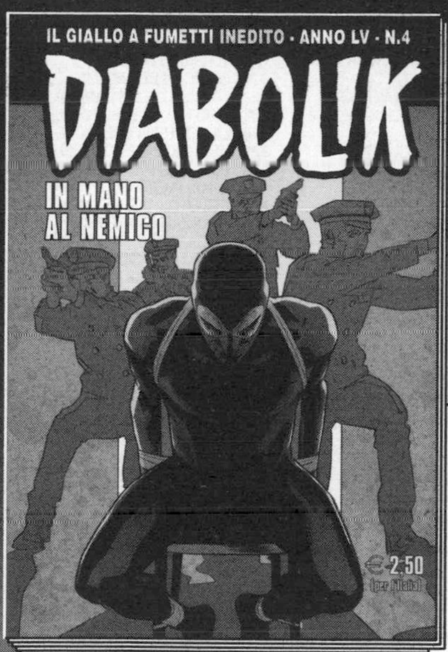


Quando Diabolik scopre casualmente il trucco usato da alcuni narcotrafficanti per contrabbandare della droga, subito pianifica un colpo ai danni della banda. Ma qualcuno sta facendo il doppio gioco, e così il cacciatore si trasformerà in facile preda.

## IN MANO AL NEMICO

IN EDICOLA
DAL 1° APRILE

# DIABOLIK d'Annata

**ATTENZIONE: IL TEMPO DI CONSEGNA MEDIO PER GLI ARRETRATI È DI *30 GIORNI***

**La collezione completa di una intera annata di Diabolik raccolta in un elegante cofanetto serigrafato e proposta a un prezzo eccezionale!**

**ANNATE DISPONIBILI:**

| | |
|---|---|
| **DIABOLIK INEDITO:** | 2004 - 2005 - 2006 - 2007 - 2008 - 2009 - 2010 - 2011 - 2012 - 2013 |
| **DIABOLIK R:** | 461/472 - 473/484 - 485/496 - 497/508 - 509/520 - 521/532 - 533/544 545/556 - 557/568 - 569/580 - 581/592 - 593/604 - 605/616 - 617/628 |
| **DIABOLIK SWIISSS:** | 1/12 - 13/24 - 25/36 - 37/48 - 49/60 - 61/72 - 73/84 - 85/96 - 97/108 - 109/120 - 121/132 133/144 - 145/156 - 157/168 - 169/180 - 181/192 - 193/204 - 205/216 - 217/228 |

Per ordinare:
inviate € 25 per ciascuna annata a: Astorina s.r.l. - Via Boccaccio, 32 - 20123 Milano
**Non si spedisce in contrassegno.**
Potete versare l'importo sul conto corrente postale n. 20724209
Oppure tramite bonifico bancario su: BANCOPOSTA - IBAN IT37Z0760101600000020724209
Nella causale del versamento specificate il titolo,
scrivete il vostro indirizzo in stampatello completo di via, numero civico e codice postale.
***PER ORDINI COMPLESSIVI PARI O SUPERIORI A € 19 LA SPEDIZIONE È GRATUITA**
**PRIMA** di effettuare ordinazioni **dall'ESTERO**, contattare
l'Ufficio Arretrati: +39 02 4815318 - dk1962@astorina.it

# DIABOLIK

**CREATO NEL 1962**
**DA ANGELA E LUCIANA GIUSSANI**

Pubblicazione mensile

Direzione Generale: *Mario Gomboli*
Direttore Responsabile: *Mario Gomboli*
Assistente alla direzione: *Alessandra Mangalaviti*
Art Director: *Raffaela Busia*
Direzione commerciale: *Dario Paolillo*
Grafica di redazione: *Agnese Storer*
Assistente di redazione: *Claudia Orlandi*
Amministrazione: *Maria Pezzolla*
Segreteria: *Chiara Quaglia*

www.diabolik.it
a cura di Licia Ferraresi - Realizzato da Globalmedia

Seguici anche su
www.facebook.com/DiabolikUfficiale

## SOMMARIO

DIABOLIK R n. 657 - 17 marzo 2016



Soggetto: E. FUCCELLI
Sceneggiatura: P. MARTINELLI
Disegni: S. ZANIBONI - F. PALUDETTI
Copertina: S. e P. ZANIBONI

*Qualsiasi riferimento a persone o fatti reali è puramente casuale.*




ISSN 1124-0466

Certificato PEFC
Questo prodotto è realizzato con materia prima da foreste gestite in maniera sostenibile e da fonti controllate
PEFC/18-31-103
www.pefc.it

Questo periodico è associato all'Unione Stampa Periodica Italiana

Astorina S.r.l. via Boccaccio, 32 - 20123 Milano • Aut. Tribunale di Milano n. 226 del 13/3/1987 • Stampa, copertine e fotolito: Rotolito Lombarda - Cernusco sul Naviglio (MI) • Printed in Italy • ©Astorina Ristampa del n. 11 - Anno 2001
Diffusione: SO.DI.P. "Angelo Patuzzi" S.p.A. - Via Bettola, 18 - 20092 Cinisello Balsamo (MI)
Distributore per l'estero: SO.DI.P. S.p.A- Via Bettola, 18 - 20092 Cinisello Balsamo (MI)